Evelyne **Boyard**

# L'ÉCOSSE

Éditions **Belize**

# La carte de l'Écosse

UTM Projection © Éric Gaba – Wikimedia Commons

© Éditions Belize, 2012
www.editions-belize.com
ISBN : 978-2917289-71-6
N° édition : 66

Dépôt légal : octobre 2012
Textes et photos : Évelyne Boyard
Conception graphique : Évelyne Boyard
Imprimé en Union européenne

# L'Écosse

« Ceud míle fàilte » – ce qui signifie « cent mille fois la bienvenue » en gaélique (langue celtique et officielle en Écosse) – reflète bien la gentillesse des Écossais à notre égard ! Ce pays fait partie de la Grande-Bretagne comme le pays de Galles et l'Angleterre mais il a son identité propre, une culture forte en traditions ancestrales, une longue histoire, un patrimoine riche, une nature sauvage et préservée ainsi qu'un sens de l'accueil très chaleureux !

L'Écosse est située tout en haut de l'île de la Grande-Bretagne. Un peu plus de 5 millions de personnes peuplent le pays et deux tiers d'entre elles vivent dans la partie centrale, autour des deux villes principales : Glasgow et Édimbourg. Ces dernières sont très différentes : à Édimbourg, capitale du pays, nous faisons un voyage dans le temps en arpentant ses ruelles médiévales, et en visitant ses châteaux et ses maisons du XVIIIᵉ siècle. L'été, elle est très animée par les fêtes et les festivals. Pas étonnant que J.K. Rowling, l'auteur d'Harry Potter, y ait trouvé l'inspiration ! Quant à Glasgow, la plus grande ville d'Écosse, elle est devenue une ville d'avant-garde, aux boutiques branchées, et célèbre pour son design et son architecture victorienne (du XIXᵉ siècle).

Mais c'est essentiellement dans la région des Highlands et des îles écossaises que l'on découvre la splendeur du paysage écossais et la richesse de sa nature. Peut-être y apercevrons-nous le fameux monstre du loch Ness, Nessie ? Alors en route !

## Sommaire

| | |
|---|---|
| **Les Highlands** les Hautes-Terres d'Écosse | p. 5 |
| • Oban | p. 8 |
| **L'île de Mull** (Hébrides intérieures) | p. 11 |
| **Glencoe** | p. 14 |
| **Fort William** | p. 15 |
| • Sur les traces d'Harry Potter | p. 16 |
| **La péninsule d'Ardnamurchan** | p. 19 |
| **Dornie et Plockton** | p. 21 |
| **L'île de Skye** (Hébrides intérieures) | p. 25 |
| • Les Highland Games | p. 31 |
| **En route vers le Nord** (région de Wester Ross) | p. 33 |
| **Le Nord** | p. 39 |
| **Les Cairngorm** | p. 45 |
| **La faune de l'Écosse** | p. 46 |
| **Quelques clans écossais et leurs tartans** | p. 48 |

Lumière de fin de journée sur le château « Eileann Donan Castle », au bord du loch Duich, dans les Highlands. C'est le château le plus visité d'Écosse.

ous avons choisi de prendre le ferry à Calais, dans le nord de la France, pour accoster à Douvres, en Angleterre, et traverser le pays en voiture jusqu'en Écosse. Le parcours fait partie du voyage et nous avons ainsi l'occasion d'admirer de jolis paysages vallonnés anglais. Mais lorsque nous apercevons les premiers monts écossais et surtout le panneau « Welcome in Scotland » (« bienvenue en Écosse »), notre sang ne fait qu'un tour !

Pouvoir enfin découvrir les glens (vallées) aux collines couvertes de bruyère, les lochs (lacs) mystérieux, les bens (montagnes) dont les sommets sont les plus hauts de Grande-Bretagne, profiter du grand air tout en observant la faune et la flore du pays, aller à la rencontre de ces habitants vêtus de kilts et jouant de la cornemuse à la moindre occasion, voilà ce qui nous attend dans ce pays magique !

# Les Highlands

## Les Hautes-Terres d'Écosse

La région représente environ les deux tiers du pays. La côte ouest est plutôt découpée avec de nombreux lacs, des promontoires formant des fjords et des péninsules. La côte est, quant à elle, possède un relief plus doux. Ces terres sont restées sauvages car peu d'habitants y vivent.

On longe le loch Lomond, le plus grand de Grande-Bretagne, pour rejoindre les massifs montagneux des Highlands. C'est ce lac qui les sépare des Lowlands (Basses-Terres).

Les rayons du soleil ont percé le ciel tourmenté, et le paysage sur le loch Duich s'illumine !

Pas facile de s'habituer à conduire à gauche, surtout quand la route est étroite. Heureusement que nous avons notre propre voiture, avec un volant à gauche, c'est moins compliqué ! De jolies maisons bordées de massifs colorés de rhododendrons longent le lac. Il fait beau ! C'est une chance car le climat écossais est réputé pour être changeant. L'expression « douche écossaise » est fondée : on peut passer du ciel radieux à une grosse averse en 5 minutes, et vice versa ! Mais cela fait partie du charme du pays. Rares sont les contrées avec de si belles lumières, de si intenses arcs-en-ciel !

Le paysage highlandais est formé en grande partie de marécages (tourbières), de landes, de rochers et falaises, et de quelques forêts de pins très anciennes. Des lieux sauvages et variés, des terres de bout du monde !

L'ancien nom de l'Écosse était Calédonie. Au cœur des Highlands, quelques forêts abritent des pins très âgés, appelés « calédoniens », aux troncs rouges et aux branches tortueuses.

Pins calédoniens vers Torridon, au nord-ouest des Highlands. De nombreuses régions ont été déboisées en Écosse mais depuis les années 1970 les protecteurs de la nature ont régénéré les futaies.

# L'Écosse, un bout d'Amérique ?

Quand on visite l'île de Skye et qu'on s'intéresse à la géologie, on se rend vite compte que l'endroit est marqué par un volcanisme certes très ancien mais du genre cataclysmique ! Et, effectivement, cette île a été en son temps un endroit aussi actif que l'Islande d'aujourd'hui, et pratiquement pour la même raison.

En fait, notre continent eurasiatique était collé au continent nord-américain, lorsque la dorsale qui se trouve aujourd'hui en plein milieu de l'océan Atlantique s'est ouverte en une gigantesque faille, d'où débordaient des quantités phénoménales de lave en fusion. Progressivement, cette dorsale océanique a produit de la matière, écartant petit à petit les plaques nord-américaines de ce qui est aujourd'hui l'ouest de l'Europe. L'île de Skye actuelle était au beau milieu de toute cette activité volcanique, d'où les traces laissées sur son territoire. Curieusement, une partie de la plaque nord-américaine est restée collée à l'Europe. On peut d'ailleurs voir une ligne de fracture presque droite au beau milieu des Highlands, qui sépare le pays en deux. Le fameux loch Ness en est une partie !

Vue d'Oban depuis le bateau.
Les grandes demeures victoriennes
tranchent avec la « McCaig's Tower »,
petite réplique inachevée du Colisée
de Rome, qui domine la ville.

# Oban

Passage obligé pour prendre le ferry vers l'île de Mull, la jolie ville portuaire d'Oban.

Les îles sont très nombreuses en Écosse (790 !) mais seules 130 d'entre elles sont habitées. Tout au nord, les Orcades et les Shetlands sont deux archipels éloignés de l'île principale. Les habitants de ces terres parlent le gaélique mais empruntent de nombreux mots norrois, la langue des envahisseurs vikings ! Parallèlement à la côte nord-ouest, ce sont les Hébrides extérieures et,

plus au sud, les Hébrides intérieures, dont nous allons explorer l'île de Mull et la grande île de Skye, l'une des plus touristiques… mais elle le vaut bien, tu verras !

Oban est une station balnéaire de style victorien (époque de la reine Victoria qui régna en Grande-Bretagne au XIX$^e$ siècle), où il est agréable de se promener le long des avenues pour faire du shopping ou visiter la seule distillerie de whisky située en plein centre-ville. Mais nous préférons déguster de bons fruits de mer dans l'une des cabanes le long des quais en attendant notre ferry qui dessert les Hébrides. Ah, le voilà qui arrive, justement ! Embarquement immédiat pour l'île de Mull !

Un Colisée à Oban ? Étonnant ! C'est l'idée incroyable d'un riche homme d'affaires qui a voulu offrir des emplois à des chômeurs à la fin du XIX$^e$ siècle !

Phare de Lismore, sur l'île Eilean Musdile, pendant la liaison en ferry Oban-île de Mull (Hébrides intérieures).

La traversée est très agréable. On longe la petite île d'Eilean Musdile où trône le phare blanc de Lismore. Quand nous apercevons les côtes de l'île de Mull, se dresse, au bout d'une langue de terre, le château de Duart, un des plus anciens d'Écosse (il date du XIIIe siècle) qui appartenait au clan MacLean (*voir p. 48*). On peut en visiter quelques pièces.

Nous débarquons à Craignure. Dans ce coin un peu perdu, on apprécie la tranquillité de la vie insulaire, loin du vacarme des grandes villes.

# L'île de Mull

## (Hébrides intérieures)

L'île de Mull est un concentré d'Écosse. Les paysages et les milieux naturels sont très variés : de petites criques de sable blanc, en passant par les hameaux perdus dans les pâturages ou les sentiers bordés de fougères qui longent les lochs… tout le monde y trouve son compte.

Direction du Ross of Mull, la plus grande péninsule (bande de terre entourée d'eau) de l'île, située sur la côte ouest. À son extrémité, on peut embarquer sur un ferry pour aller sur l'île d'Iona, d'où commença la christianisation de l'Écosse, et visiter ses ruines d'abbayes et d'églises.

La petite route qui oscille entre mer et montagne est une *single track road*, c'est-à-dire une route à chaussée unique, où un seul véhicule peut passer.

Le petit port de Tobermory et ses jolies maisons aux façades colorées.

Est-on réellement en Écosse ? Sable blanc, eaux turquoise... ces plages n'ont rien à envier à celles des pays plus exotiques ! Sauf la température de l'eau, qui est bien plus fraîche : elle varie entre 12° et 14°, brrr !

Lorsque deux voitures veulent se croiser, il y a les *passing places*, des espaces où on peut se garer en attendant que l'autre voiture circule. Un peu compliqué, mais on s'y fait vite, et les Écossais, toujours très aimables, nous laissent passer en priorité en faisant un appel de phares !

Nous revenons sur Tobermory, la capitale de l'île. Elle est superbe avec toutes ses maisons aux façades de couleurs vives ! Nous nous promenons sur Main Street, la rue principale, en regardant le retour de pêche des bateaux, tout aussi colorés, chargés de cageots de homards !

Départ ensuite pour Calgary Bay, une des plus belles plages de Mull, situées au nord-ouest de l'île. Brrr ! que le vent est glacial ! Pour rejoindre Calgary, on emprunte la route de Killiechronan, qui musarde entre les forêts de chênes, les cascades et les corniches... La plage est superbe mais impossible de se baigner, à moins de porter une combinaison étanche à l'instar de la plupart des jeunes Écossais.

Après tous ces jolis circuits, c'est triste de quitter Mull !

La « Highland cow » est une vache rustique aux longs poils qui la protègent du vent.

13

Les plus anciennes montagnes
de la vallée de Glencoe ont
400 millions d'années.
C'est un musée géologique
à ciel ouvert, témoignant
d'un passé volcanique intense.

# Glencoe

En remontant vers le nord, toujours sur la côte ouest, on découvre Glencoe. Entouré de montagnes imposantes et verdoyantes en été, bordé par un loch du même nom, c'est un haut lieu pour la pratique de la randonnée et de l'escalade. Le cadre grandiose et sauvage par la diversité de la faune et de la flore est préservé. Un centre de visiteurs, géré par le National Trust of Scotland, veille à la protection de la nature en Écosse.

Mais Glencoe est également célèbre pour son histoire. Un massacre eut lieu en 1692, au cours duquel près de 80 membres du clan MacDonald furent tués pour avoir tardé à se soumettre à l'autorité du roi, Guillaume III d'Angleterre. Seuls deux rescapés purent raconter cet événement tragique, ce qui accentua la rébellion jacobite (les Écossais contre les Anglais) face à la puissance britannique.

# Fort William

Bref arrêt à Fort William, située au pied du Ben Nevis, le sommet le plus haut des îles Britanniques (1 344 m). L'ascension est, paraît-il, très raide et longue (environ 9 heures) puisqu'elle part du niveau de la mer. Au sommet, il peut y avoir de la neige, même en été !

Quant à la ville de Fort William, elle n'a pas grand intérêt, mais on peut y admirer « l'escalier de Neptune », un groupe de huit écluses successives, construites sur le canal Calédonien. Elles permettent aux plaisanciers de descendre les 19 mètres de dénivellation séparant les lochs Lochy et Linnhe et leur évitent ainsi un gros détour.

L'autre attraction est le viaduc de Glenfinnan. Il est franchi par un train à vapeur pittoresque qui fait la liaison Fort William-Mallaig. Mais, depuis peu, plus de touristes affluent près de ce pont. Pourquoi ? Mais pour suivre les traces d'Harry Potter, bien sûr !

L'emblème de l'Écosse est une fleur de chardon. Ce symbole date de plus de 500 ans et on le trouve sur les armoiries royales du pays. On ne connaît malheureusement pas son origine.

# Sur les traces

Ce n'était pas gagné d'apercevoir la locomotive à vapeur sur le viaduc de Glenfinnan ! Rien n'était indiqué. C'est au « visitor Center » qu'une dame nous informa que le train passait sur le pont une fois par jour, à 10 h 50 précises ! Il est 10 h 35 ! Nous prenons le sentier un peu raide, sur la droite du bâtiment, pour rejoindre un groupe de touristes qui, comme nous, a envie de retrouver l'ambiance du 2e volet de la célèbre saga, *Harry Potter et la Chambre des secrets*. C'est le fameux viaduc où Harry et Ron, au volant d'une vieille voiture, essaient de rattraper le Poudlard Express.

C'est au loch Shiel, où l'on peut voir le monument de Glenfinnan, qu'ont été tournées en partie des scènes du 4e

# d'Harry Potter

volet, *Harry et la Coupe de feu*, avec le tournoi des trois sorciers. Ce loch incarne également le lac dans la plupart des films. L'Écosse a aussi servi de décor pour *Harry Potter et le prisonnier d'Azkaban* où, comme Hagrid, on peut admirer Torren Lochan et la forêt de Signal Rock, près de Glencoe. Et ce sont sur les rives du loch Etive, non loin, que Harry, Ron et Hermione campent dans *Les Reliques de la mort* (partie 1).

Mais rien d'étonnant à cela ! L'auteur, J.K. Rowling, trouvait que l'atmosphère mystérieuse et parfois sombre du pays correspondait bien à celle de ses livres. Les fantômes écossais n'ont qu'à bien se tenir face aux sorciers !

## Un autre Potter, mondialement célèbre ?

Beatrix Potter fut, au XIXᵉ siècle, une auteure anglaise à succès de livres pour enfants. Elle fit de nombreux séjours en Écosse, où elle trouva l'inspiration pour ses petits personnages de *Peter Rabbit* et ses nombreux contes.

Les ruines de Tioram Castle, situé sur un îlot rocheux au bord du loch Moidart.

# La péninsule d'Ardnamurchan

Oh ! quel nom compliqué pour cette péninsule ! Cela se prononce en fait « Arnamourran ». Mais elle est à explorer absolument si tu es un grand amateur de nature comme nous ! Elle est située au point le plus à l'ouest du continent britannique, mises à part les îles.

À 15 kilomètres de Fort William, nous avons pris un petit ferry pour gagner Strontian. La traversée a duré seulement 5 minutes !

À peine débarqués, nous observons aux jumelles une colonie de phoques qui se prélassent au soleil sur les rives du loch Sunart. En continuant la route, nous pénétrons dans une superbe forêt de chênes aux branches tortueuses, aux troncs tapissés de mousses, de fougères et de lichens. Cette forêt est ancienne : autrefois, elle recouvrait toute la côte atlantique en raison de son climat humide.

Nous roulons prudemment car la route est à une voie. Nous avons envie de prendre notre temps sur cette presqu'île dont l'atmosphère est si paisible.

Après notre pause-déjeuner à Salen pour déguster un bon haggis (*voir ci-contre*), nous prenons la direction du nord pour aller admirer les ruines du château de Tioram. Ce donjon du XIIIe siècle n'a rien de particulier

hormis sa position : il est situé sur un îlot rocheux uniquement accessible à marée basse. Cela tombe bien, nous sommes là au bon moment !

La petite route sinueuse se faufile entre les murets de pierre pour atteindre de superbes petites criques au sable blanc.

Ce paysage, abandonné à la nature, sans construction, abrite de nombreux animaux tels que la martre, le cerf ou le héron.

Le haggis, ou panse de brebis farcie, est le plat national écossais. C'est un mélange d'abats de mouton (poumon, foie, cœur) et d'avoine, le tout cuit dans une espèce de boyau. Tu peux faire la grimace quand tu lis la recette, mais le haggis, accompagné d'une purée de pommes de terre, est un vrai délice ! Son goût est assez proche de celui du hachis parmentier, mais en plus relevé.

Eilean Donan Castle et son joli pont en pierres, au soleil couchant. Il est considéré comme le château le plus romantique d'Écosse.

**N**ous longeons toujours la côte ouest des Highlands en remontant vers le nord.

Escale obligatoire dans un des sites les plus touristiques et les plus emblématiques d'Écosse, à Dornie, un petit village : il abrite une des forteresses les plus photographiées du pays, Eilean Donan Castle. Il faut dire que la haute silhouette du château, accessible uniquement par le pont en pierre, et plantée sur un îlot rocheux, est impressionnante, l'ensemble se reflétant dans le loch Duich.

# Dornie et Plockton

Mais quelle ne fut pas notre surprise d'apprendre qu'en fait les murs de ce château datent de 1930 ! Il fut construit à l'origine au milieu du XIII$^e$ siècle, puis détruit en 1720, jusqu'à ce que dans les années 1930 un lieutenant-colonel du clan MacRae le restaure à l'identique, en suivant les plans originaux !

On peut visiter presque toutes les pièces du château qui abritent de nombreux souvenirs de la famille mais nous sommes plus attirés par les murs extérieurs de l'enceinte.

On se retrouve soudainement projeté dans la peau d'un seigneur écossais du XIII$^e$ siècle qui défend son île des envahisseurs vikings !

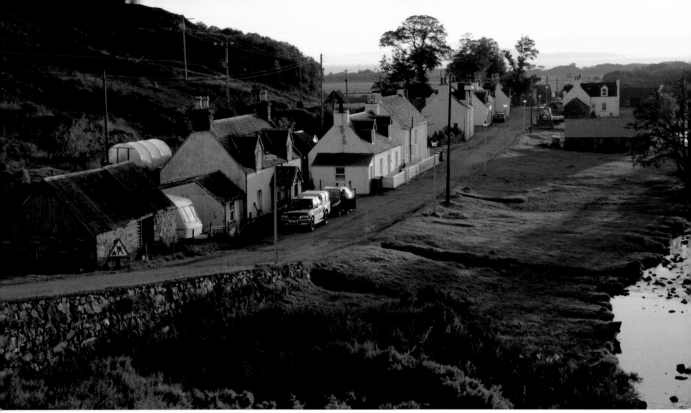

▲ Le hameau de Duirinish baigné par la lumière du soir. Mais gare aux midges, ces petits moustiques ressemblant à des moucherons, qui nous attendent pour piquer dès le soir tombant !

Grâce à un microclimat doux, fleurs et plantes exotiques prospèrent dans les jardins de Plockton. ▼

La forteresse est bien située au carrefour de trois lochs maritimes, et l'on voit ainsi les ennemis approcher. Gare aux envahisseurs !

Eilean Donan Castle a servi de décor pour de nombreux films. On retiendra deux d'entre eux : *Highlander* avec Christophe Lambert, qui joue un immortel écossais, et un long métrage de la série James Bond, *Le Monde ne suffit pas* (voir encadré ci-contre).

Le château est photogénique, quel que soit l'angle de vue, mais nous préférons le photographier du pont, situé juste en face. Eilean Donan Castle est considéré comme le château le plus romantique d'Écosse.

Qui dit château écossais dit château hanté. Celui-ci ne déroge pas à la tradition : son fantôme serait un soldat espagnol tué dans la bataille qui détruisit la forteresse en 1719. Il aurait été vu avec sa tête sous le bras ! Brrr !

Pour se remettre de nos émotions, direction Plockton, un adorable petit port situé à quelques kilomètres de Dornie, sur la route de Kyle of Lochalsh. La baie, bercée par les eaux du loch Carron, protège le village des vents d'ouest. Cela a permis la floraison de plantes exotiques ou de palmiers dans de petits jardinets longeant l'anse. L'alignement, le long de l'unique route, de jolis cottages blancs ajoutent au charme du port.

Après la balade, dégustation obligatoire d'une bonne assiette de langoustines ou de saumon frais !

# Les films tournés en Écosse

L'Écosse se prête bien au grand écran, grâce notamment à ses superbes paysages, ses lumières magnifiques et la richesse de son patrimoine. Difficile de ne pas citer le film *Braverheart*, avec Mel Gibson, qui raconte l'histoire de William Wallace, héros écossais luttant contre l'invasion anglaise au XIIIe siècle, ou *Rob Roy*, dont le héros du XVIIIe siècle, Robert Mac Gregor, une sorte de Robin des Bois écossais, est joué par Liam Neeson. Les deux films sont inspirés d'histoires authentiques. Un autre long métrage, *Local Hero*, est une fable écologique (la lutte d'un petit port écossais contre une grosse société de pétrochimie). Dernièrement, on a pu voir *Le Dragon des mers - la dernière légende*, avec pour toile de fond le loch Ness, l'actrice Michelle Pfeiffer en sorcière dans « *Stardust* », film tourné sur l'île de Skye et, bien sûr, plus récemment, le dessin animé *Rebelle*, qui raconte l'histoire, au Moyen Âge, d'une jeune princesse archère écossaise qui se révolte contre les traditions.

Tourbières, landes et massifs montagneux composent un paysage grandiose sur l'île de Skye, surtout si la lumière est de la partie !

 quelques encablures de Plockton, Kyle of Lochalsh est la porte d'entrée de la plus grande île et la plus touristique des Hébrides intérieures : Skye, surnommée « l'île des brumes ».

Nous empruntons le pont qui relie Skye au continent. La vue en hauteur est déjà renversante, on comprend pourquoi bon nombre de touristes viennent visiter l'île. Le paysage est très varié et grandiose.

# L'île de Skye

## (Hébrides intérieures)

Au sud de l'île, ce sont les massifs montagneux qui prédominent avec les monts Cuillins, héritage d'un volcanisme ancien. Leur splendeur est une des attractions de l'île, et les amateurs d'escalade y viennent nombreux ! Au nord et au sud-ouest, les péninsules se succèdent, offrant au visiteur, comme à Trotternish, des points de vue vertigineux sur des falaises et ses escarpements, des alignements de crêtes et des pics rocheux, dont le plus célèbre est le Old Man of Storr.

À l'ouest de Skye, les péninsules de Duirinish et de Waternish composent de vastes landes escarpées balayées par les vents. Quant à la péninsule de Sleat, située au sud, elle offre un paysage plus vert : c'est la partie la plus boisée de l'île.

Dans la péninsule de Trotternish, la cascade de
Kilt Rock se jette directement dans la mer.

Kileakin est l'ancien port de débarquement du ferry, avant la construction du pont en 1995.
Les ruines d'un ancien château viking surplombent les bateaux de pêche colorés.

Portree est la capitale de l'île. Le petit port, bercé par les eaux d'un loch, est adorable avec ses maisons aux façades couleur pastel.

Nous poursuivons vers le nord pour nous arrêter à Kilt Rock, où nous admirons une jolie cascade qui se jette dans la mer. À cette heure matinale, la cascade est malheureusement dans l'ombre. Mais elle reste grandiose et nous donne le vertige. Quelle émotion !

La route principale nous mène aux ruines du château de Duntulm, ancien fief du clan MacDonald. Le ciel se couvre vite, nous nous protégeons de la pluie au Skye Museum, à Kilmuir, qui évoque la vie des anciens fermiers, présentée dans des chaumières aux murs blanchis à la chaux, habitat typique de l'île et des Highlands. Très intéressant !

En dehors du tourisme, les habitants vivent surtout de l'élevage de moutons, les Scottish Blackface (moutons à tête noire), que l'on rencontre partout sur l'île. Attention de ne pas rouler trop vite, ils traversent n'importe où !

Le Old man of Storr (« le vieil homme de Storr ») est un éperon rocheux haut de 55 mètres visible depuis la route.

Ces falaises de basalte, près de Neist Point, sont impression-nantes ! Pas âme qui vive, à part les moutons, les oiseaux et... nous !

Le phare de Neist Point, à la pointe la plus occidentale de l'île de Skye.

En longeant la côte vers le nord, nous faisons un arrêt au château de Dunvegan, qui, depuis le XIII^e siècle, appartient au clan MacLeod. Son donjon a été construit au XV^e siècle, mais les façades de la forteresse ont été recouvertes de stuc (enduit teinté à base de chaux) au XIX^e siècle, ce qui, selon nous, n'est pas très joli. Nous ne faisons pas la visite intérieure mais celle de ses jardins. Si tu as le temps, nous te conseillons de faire ensuite un tour de barque sur le loch Dunvegan pour aller observer une colonie de phoques installée à demeure.

Depuis Dunvegan, nous prenons une petite route qui nous mène à l'extrémité ouest de l'île, Neist Point. Nous traversons de pittoresques villages dont les panneaux d'entrée sont écrits en gaélique, comme la plupart de ceux de l'île. Il faut dire que la moitié de la population insulaire parle cette langue celtique !

À la pointe se dresse le phare du même nom, mais il n'est pas visitable. Tu peux cependant t'en approcher en empruntant à pied le sentier en escaliers. On jouit d'une excellente vue sur la baie de Moonen Waterstein Head.

Le château de Dunvegan, résidence du clan MacLeod, dans l'ouest de Skye, date du XIIIᵉ siècle, mais il a été restauré au XIXᵉ siècle.

Les falaises recouvertes d'herbe sont composées de roches basaltiques, témoignages d'anciennes éruptions. Mais quel vent, là-haut ! Ça décoiffe !

Nous quittons le nord-ouest de Skye pour découvrir le sud de l'île. Nous traversons la région des Cuillins, qui se divisent en deux chaînes, les Black Cuillins, aux sommets escarpés, et les Red Hills, au relief plus doux, arrondis par l'érosion. Au sud, à Armadale, dans la péninsule de Sleat, réputée pour être le « jardin » de Skye, nous visitons un musée très intéressant : le clan MacDonald Centre. Il relate l'histoire des Highlands.

Avant de rejoindre le continent, passage obligé à Kylerhea : un affût pour aller observer les loutres, nombreuses dans cette région. Malheureusement, aucune n'a voulu montrer le bout de son museau ! On se console en contemplant les jeux d'une belle colonie de phoques !

Difficile de quitter l'île ! On en a fait le tour, mais il reste tellement de choses à voir ! Il faudra revenir, c'est certain…

Chaumière ancienne transformée en musée, sur la route de Neist Point.

Le lancer de tronc, en kilt obligatoire !

# Les Highland Games

## (Les jeux des Hautes-Terres)

Tu veux assister à un spectacle unique et typiquement écossais ? Alors installe-toi bien dans l'herbe pour admirer les jeux de force des Highlands, que l'on rencontre un peu partout en Écosse, surtout l'été.

Les Highland Games remonteraient au XIVe siècle. Ils avaient pour but de sélectionner les gardes du corps des chefs de clan.

Ces compétitions proposent ainsi plusieurs disciplines de force, d'adresse et de vitesse. La première épreuve de force est celle, impressionnante, du lancer de tronc : le concurrent doit lancer un tronc de sapin de 6 mètres de haut et le retourner après sa course afin qu'il retombe de l'autre côté. Quand on sait qu'un tronc de sapin de cette taille pèse en moyenne 65 kilos, tu imagines l'effort que le participant doit faire ! Il y a aussi le tir à la corde qui oppose deux équipes. Chacune doit tirer la corde de son côté, et celle qui gagne est celle qui a amené la corde sur son terrain. Tu peux également assister au lancer de poids ou de marteau, qui peut peser jusqu'à 25 kilos ! Le lanceur doit projeter le marteau – ou envoyer le poids –, fixé par une simple chaîne et un anneau, le plus loin possible de l'autre côté d'une barre d'une hauteur de 5 mètres !

Pour des disciplines plus « artistiques », il y a les concours de musique et de danse traditionnelles.

Les « pipe bands » sont des orchestres uniquement composés de cornemuses. Ces instruments de musique sont devenus des symboles écossais dans le monde entier, même s'ils ont été importés d'Asie Mineure par les Romains ! La cornemuse des Highlands est principalement utilisée pour deux styles de musique : la marche militaire et la musique classique qui accompagne souvent les danses folkloriques.

Sur le terrain de jeux, on peut assister aux danses des épées. Les jeunes filles doivent sautiller sans toucher les épées disposées en croix sur le sol.

Les Highland Games sont vraiment l'occasion de rencontrer des Écossais hauts en couleur !

Le village de pêcheurs Shieldaig,
dans une baie abritée au bord du
loch Shieldaig.

**N**ous poursuivons notre périple vers le nord en direction de Gairloch. Nous choisissons de prendre la portion de route entre la presqu'île d'Applecross et Shieldaig, un des endroits les sauvages, et réputé pour sa beauté. C'est magnifique ! On jouit de panoramas époustouflants sur les montagnes de Skye, les îles de Raasay et Rona. Mais quelle route vertigineuse, sinueuse et étroite ! Fort heureusement, peu de monde l'emprunte, et nous n'hésitons pas à nous arrêter souvent pour profiter des *view points* (« points de vue » ou « belvédères »).

# En route vers le Nord
## (région de Wester Ross)

Pour nous remettre de nos émotions, nous faisons un arrêt déjeuner dans le village d'Applecross, où tout respire la tranquillité. Pas étonnant que la région soit surnommée en gaélique *A'Chomraich*, qui signifie « sanctuaire ».

Au pub (café-restaurant) *Applecross Inn*, nous savourons de délicieuses coquilles Saint-Jacques fraîchement pêchées par les marins du coin.

Au bord du loch Shieldaig, prolongement du grand loch Torridon, nous découvrons le petit village de pêcheurs Shieldaig dont les maisons blanchies à la chaux sont toutes alignées le long de la rive. Un havre de paix dans un écrin de verdure, même si les pins sylvestres ont remplacé peu à peu les pins calédoniens pour fournir du bois à la construction des bateaux de pêche.

▲ Effets graphiques sur une des plages de sable rose, à Applecross.

Ponton de pierre dans la baie de Shieldaig, paradis pour les amoureux de la nature. ▼

Auparavant, le hameau était réputé pour la pêche au hareng, et ce, depuis l'époque des Vikings. Aujourd'hui, la pêche se limite aux moules et aux crevettes.

Nous voilà dans une vallée où les massifs sont parmi les plus anciens d'Europe : Torridon. En effet, leur roche aurait entre 2,6 et 3 milliards d'années ! Les éruptions successives, les changements climatiques, l'érosion, le reboisement et l'intervention de l'homme au fil des siècles ont transformé peu à peu le paysage. Fort heureusement, la vallée est restée sauvage. Sur les rives du loch Torridon, de vastes étendues de pins sylvestres et de landes servent de refuges à de nombreux animaux. À découvrir en randonnée, mais regarde où tu mets les pieds si tu sors des sentiers : le terrain est fait de tourbières. Chaussures trempées et enlisées garanties !

L'Écosse est recouverte aux deux tiers de tourbe. Ce sont des débris végétaux qui se sont entassés dans un milieu très humide au fil des années. Depuis longtemps, l'homme l'utilise comme combustible pour le chauffage et… le whisky !

Petite maison au toit rouge qui contraste avec la végétation environnante, sur la route Applecross-Shieldaig.

La baie de Gairloch et son village, vus de la route Poolewe.

À quelques kilomètres de Torridon, voici la bourgade de Gairloch. L'environnement est un beau mélange de mer et de montagnes. La baie est superbe, avec une côte aux jolies plages de sable, des lochs et des montagnes.

Nous nous dirigeons vers le port où nous apprécions la douceur et le calme parfois rompu par le cri des goélands qui suivent les bateaux de retour de pêche.

Sur le quai, il y a plusieurs guérites qui proposent des sorties en mer pour aller observer les oiseaux, les phoques ou les cétacés.

Phoque gris dans la baie de Gairloch.

Dès l'embarquement, notre capitaine nous montre un phoque gris ! Il est souvent présent dans l'embouchure du port pour mendier quelques poissons aux pêcheurs ! Et puis, c'est au tour des dauphins communs qui suivent le bateau pendant quelque temps. On est gâtés !

Pendant le reste de la croisière, nous observons des marsouins et, surtout, de nombreux oiseaux de mer comme le grand labbe, un prédateur proche du goéland, occupé, cette fois, à attraper la nourriture que

lui lance le capitaine ! Nous pouvons ainsi observer son vol de près, une occasion rare.

Mais pas de requin pèlerin en vue, pourtant fréquent dans la baie, il ne fait pas assez beau selon les dires du capitaine. Avec ses 12 mètres de long, c'est un des plus grands poissons au monde. En dépit de sa taille, il reste inoffensif pour l'homme !

Après cette petite escapade en mer, nous rejoignons la terre ferme pour aller visiter un très beau parc à Inverewe.

Grâce à la proximité du Gulf Stream (un courant d'eau chaude provenant des Caraïbes, qui longe l'Europe et vient se refroidir dans l'Arctique), les plantes, fleurs et arbres provenant du monde entier s'y plaisent à merveille. Étonnant de voir dans ce jardin, situé sur une latitude plus au nord que Moscou en Russie, des eucalyptus d'Australie, des fleurs de Nouvelle-Zélande, des massifs de rhododendrons de l'Himalaya, etc. et même des potagers ! De plus, le parc offre quelques belles échappées sur le loch Ewe, où nous avons pu observer des hérons et des phoques.

Les jardins luxuriants d'Inverewe, situés sur les rives du loch Ewe.

Envol du grand labbe.

Îlot d'arbres situés sur un loch entre Ullapool
et Lochinver. Sur cette photo, il est 22 h !
En été, les journées sont longues à cette latitude,
ce qui nous laisse tout le temps d'en profiter !

**N**ous continuons à longer la côte – c'est certes plus long mais bien plus joli – pour arriver à Ullapool, notre nouvelle étape.

Nous ne sommes pas tout seuls, car ce dynamique port de pêche attire de nombreux touristes, comme nous. Il est de plus un point d'embarquement pour Lewis et Harris, les îles Hébrides extérieures.

Si tu veux rapporter des souvenirs d'Écosse, tu devrais trouver ton bonheur dans toutes les boutiques qui longent le quai. Et si tu es aussi gourmand que nous, tu peux y déguster une glace ou un bon sandwich au saumon. Mais gare aux goélands qui épient le moindre de tes gestes !

# Le Nord

La route qui mène à Lochinver traverse de superbes paysages sauvages, des lochs entourés de monts à la végétation rase et ponctués de petits îlots habités par les pins. C'est le domaine des moutons et des… midges ! Pour ne pas se faire piquer par ces vilains petits moustiques, courants au bord des lochs, couvre-toi la tête, comme nous, d'un filet de protection. Pas très esthétique mais très efficace !

Petit arrêt à Ardvreck Castle. Même à l'état de ruines, le château reste joli sur son promontoire rocheux, se reflétant dans les eaux du loch Assynt.

La région fut habitée par les Celtes et les Vikings. Ils y développèrent les activités de pêche et d'artisanat, pratiquées encore aujourd'hui de manière traditionnelle.

Cottage situé sur la route de Drumberg. Sur le côté
droit de l'image, tu peux remarquer l'étroitesse de la
route : c'est une route à voie unique.

Nous prenons ensuite la direction de la pointe de Stoer afin de profiter, paraît-il, d'un panorama époustouflant sur les falaises remplies d'oiseaux. Au moment où nous arrivons au pied du phare, nous sommes surpris par une averse si forte que nous sommes obligés de rebrousser chemin. Ce n'était pas un petit crachin breton. Quel dommage !

## Le Nord regorge de trésors naturels. Moins de châteaux ou de monuments à visiter mais des cascades, des lochs, des grottes…

Dans ces terres du Nord, nous ressentons un certain isolement, car peu de maisons en vue sur plusieurs lieues ! La grandeur des paysages contraste avec la petitesse des villages, et la nature prédomine, même si l'homme est intervenu comme partout en Europe (déboisement, élevage extensif des moutons).

Dans une lande en contrebas de la route, nous avons la chance d'observer, à peine à 50 mètres, une harde de cerfs sauvages – que des mâles aux bois impressionnants – qui se déplacent sans vraiment se soucier de nous. Incroyable !

Nous avons rendez-vous également avec les oiseaux, et pour cela une bonne adresse : Handa Island, accessible au départ de Tarbet. Cette petite île va nous ravir tant sur le plan du panorama que sur celui de la faune. Rien que la traversée, qui ne dure que quelques minutes, est un pur plaisir ! Le bateau est particulier : il a un moteur puissant qui permet d'avancer à vive allure, et nous sommes assis à califourchon sur une banquette étroite ; tout ça sans se mouiller ! C'est mieux que « Space Mountain » ! À l'arrivée sur l'île, nous sommes accueillis par deux guides naturalistes qui nous

# Et le monstre du loch Ness ?

C'est dans les eaux froides et sombres du loch Ness, le lac le plus grand du Royaume-Uni, que le monstre marin Nessie aurait été observé ! Mais tu sais comme nous que les légendes des pays du Nord sont courantes, surtout quand il s'agit de dragons des mers ! La preuve en est : les Vikings les représentaient sur la proue de leurs drakkars. La première apparition rapportée du monstre date du VIe siècle, mais c'est à partir du XIXe siècle que la légende se propagea. Aussitôt, les touristes affluèrent, surtout quand une route permit l'accès au loch en 1933. Depuis, de nombreux témoignages sur la bête eurent lieu mais sans preuve réelle de son existence, malgré tous les moyens déployés (sonars, sous-marins de poche, etc.). Alors prépare tes jumelles ou ton appareil photo, peut-être seras-tu plus chanceux que nous ?

▲ La plage de Durness, au sable blanc et aux eaux turquoise, lovée dans une petite crique à l'abri des vents du nord.

Située à Durness, Smoo Cave, une cavité originale avec sa cascade. ▼

Coucher de soleil sur la baie de Kinlochbervie, vers le village d'Inshegra.
Le relief est plus doux et les monts plus dénudés que sur la côte nord-ouest des Highlands.

donnent de précieuses infos sur les oiseaux (l'île peut en accueillir plus de 150 000 chaque été !) et font des recommandations (ne pas quitter les sentiers pour éviter tout dérangement, surtout en période de nidification). Le paysage est varié entre la lande dans laquelle nous avons pu observer la « grouse », ou « perdrix d'Écosse », plutôt rare, les tourbières et les falaises impressionnantes qui regorgent de cris d'oiseaux de mer. Notre grand regret ? Ne pas y être restés assez longtemps ! (Il faut au moins 4 heures pour profiter de l'île.)

Sur la route qui mène à Durness, nous longeons des petites plages de sable blanc, nichées au creux de criques rocheuses, comme à Clachtoll, Clash-nessie, Scourie pour n'en citer que quelques-unes. Arrivés en ville, nous nous dirigeons sur une des curiosités du coin :

Smoo Cave. Il s'agit d'une cavité naturelle, creusée à la fois par la mer et la rivière. L'entrée de la grotte est immense ! Nous passons par un petit pont pour accéder à une plate-forme d'où l'on admire une jolie cascade. Les éclairages mettent bien en valeur la grotte. Nous faisons un petit tour en Zodiac pour en découvrir plus, mais le temps d'attente en été est vraiment trop long par rapport à l'intérêt de la balade, même si elle est instructive.

Nous aurions aimé longer ensuite toute la côte nord jusqu'à John O'Groats, la pointe la plus à l'est du nord de l'Écosse, mais malheureusement nous arrivons au terme de notre voyage.

Avant de regagner la « civilisation » et reprendre le ferry à Douvres, escale dans les Cairngorm, région située dans le centre des Highlands.

Cheval broutant dans un champ sur la route
du loch an Eilein à quelques kilomètres d'Aviemore.

Cette région montagneuse, dont les sommets comptent parmi les plus hauts d'Écosse, est en partie un parc national. Cela permet ainsi de conserver et protéger une nature riche, principalement constituée de landes. Nous avons été surpris d'apprendre que les Cairngorm abritent le seul troupeau de rennes des îles Britanniques rescapé d'un ancien élevage ! Il paraît qu'on peut les rencontrer en faisant l'ascension des sommets.

Dommage pour nous, on se contente de visiter une des attractions de la région, vers Kingussie : le « Highland Wildlife Park ». L'entrée n'est pas donnée, mais on peut observer de nombreux animaux comme différentes races de cerfs, des bisons d'Europe, des chats sauvages, le parcours se faisant principalement en voiture. Ça tombe bien, il pleut très fort !

# Les Cairngorm

La deuxième attraction est l'écomusée de Newtonmore. C'est un chouette bond dans l'histoire : plusieurs habitats, tels que des chaumières, une école, une ferme des années 1930, etc., ont été reconstitués sur un joli parcours qui traverse des champs ou des bois. Nous faisons la connaissance d'Écossais costumés très accueillants, qui nous expliquent comment tisser la laine, fabriquer du beurre, sculpter du bois… La visite est très instructive et passionnante !

Fuite d'une harde de cerfs mâles dans le nord-ouest des Highlands.

# La faune

La grouse, ou perdrix d'Écosse. On reconnaît le mâle à son sourcil rouge éclatant.

Dans la nature, plus les milieux sont variés, plus la faune sauvage est riche. C'est le cas en Écosse, et plus particulièrement dans les Highlands.

Sur les côtes, les falaises abritent de très nombreux oiseaux de mer comme le macareux moine, la mouette tridactyle, le fulmar, le guillemot, le pingouin torda, le cormoran ou le fou de Bassan. Le phoque, et plus rarement, la loutre occupent le littoral ou les lochs maritimes.

Dans les landes et les tourbières, on peut observer de nombreux rapaces comme le hibou des marais ou la fameuse « grouse » (lagopède ou perdrix d'Écosse que nous avons eu la chance de voir sur l'île de

46

# de l'Écosse

Il reste encore des saumons sauvages en Écosse, même si l'homme a développé un élevage (pisciculture) important qui, hélas, pollue les eaux.

Handa). Dans les lochs et rivières, le saumon et la truite sont le mets préféré du balbuzard pêcheur, un aigle. Sur les lochs, peut-être auras-tu la chance d'entendre le chant plaintif du plongeon catmarin, un joli oiseau gris à l'œil et à la gorge rouges ?

En forêt, les grands herbivores, tels que le cerf ou le chevreuil, sont nombreux, car ils font l'objet de chasses importantes. En montagne, c'est l'aigle royal qui plane au-dessus des sommets escarpés.

Tu l'auras compris, si tu aimes les animaux, tu vas être comblé ! Alors, n'oublie pas tes jumelles ou ton appareil photo !

# Quelques clans écossais et leurs tartans

Les clans sont des tribus dirigées par un chef. Déjà, au XIIe siècle, les membres masculins d'un même clan, pour se distinguer des autres clans, portaient une pièce de tissus aux motifs semblables, qu'on appelle le tartan. Cette étoffe de laine, qui nous vient des Highlands, est composée de carreaux de couleurs, que les hommes portent soit en kilt (jupe), soit sur l'épaule.

Après la défaite des Jacobites en 1746, le port du tartan fut interdit. Il fallut attendre le début du XIXe siècle pour le faire renaître. Encore aujourd'hui il est un signe de reconnaissance d'un clan. En voici quelques exemples :

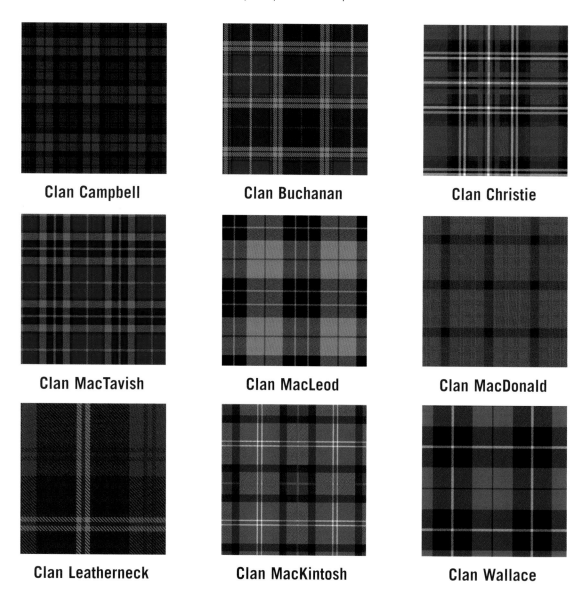

**Clan Campbell**       **Clan Buchanan**       **Clan Christie**

**Clan MacTavish**       **Clan MacLeod**       **Clan MacDonald**

**Clan Leatherneck**       **Clan MacKintosh**       **Clan Wallace**